仕事 勉強 生活をもっと楽しく。

エンジニアじゃない人のための

ChatGPT超入門

日本ビジネス研究会

JAPAN BUSINESS PUBLISHING

「ChatGPTとは何ですか?」

　あなたはこの質問に対して正確に、そして即座に答えられますか?　本書を手にしているということはすでにどこかでChatGPTについて聞いたことがある、知っている、もしくは使ったことがあるのかもしれません。それでも、この質問に即答するのは容易ではないでしょう。

　ChatGPTとは、OpenAIというアメリカの研究組織が開発し、2022年の暮れに公開した人工知能(AI)を用いたチャットボットのことです。質問を入力するとそれに対する回答を生成してくれます。その返答の精度の高さや用途の幅広さから、公開から瞬く間に世界中に広がりました。ChatGPTはあらゆる産業や社会構造のあり方を変革させるのではという期待と、一部では懸念も込めて、その秘めたる可能性について毎日のように議論がなされています。

　この本はChatGPTが私たちの生活や雇用、学習に及ぼす影響や、社会・経済の未来予想を論ずる本ではありません(部分的に少々論じています)。この本は、そもそもChatGPTとは何なのか、どんな使い方ができるのかを知るための本です。そのためにいくつかの質問を用意し、そして実際にChatGPTで生成された文章を整理してまとめました。

ChatGPTとその技術はすでに数多くの企業が活用しており、遠くない将来、私たちの生活を変えていくことでしょう。それは明日かもしれません。インターネットやスマートフォンの出現が世界を大きく変えたように、ChatGPTもまた私たちの世界を大きく、そして予想もできない方向へと変えていく可能性を秘めています。だからChatGPTが及ぼす影響を予想するよりも、まずは本質を理解して、使い方を知り、やがてくる変化に備えることが重要だと考え、本書の出版を決めました。

そもそも、使いこなせるようになる必要があるの?

　本書でも述べていますが、ChatGPTはこれまでエンジニアを中心に広がってきました。しかしこれからは非・エンジニアの人たちにも広まっていくことでしょう。なぜなら、先述のとおりにあらゆる産業を変える力と可能性を秘めているからです。

「AIは仕事を奪うか否か」という議論をよく耳にするようになりましたが、ChatGPTの登場によって特定の職業や産業そのものが無くなるということは、少なくとも当面はありません。しかし仕事のやり方は大きく変わることになるでしょう。しかも従来よりも速いスピードで変わっていくことになります。

　ということは、私たちの生活を変えていくということでもあります。そのときにChatGPTの使い方を理解しておけば、やがて訪れる変化についていくことができるどころか、日常の生活や仕事をさらに豊かにすることができるはずです。

本書の読み方

　冒頭の「ChatGPTとは何ですか?」という問いにすんなり答えられるようになったからといって、それだけではChatGPTを理解したことにはなりません。ChatGPTの基礎的な使い方や応用の仕方、その本質への理解を深めていく必要があります。そのために、本書では様々な質問項目を立てました。基礎的なものから少し具体的な質問まで幅広い質問を揃えましたので、その質問への答えをなぞるようにして、理解を深めていただけたらと思います。

　まず、1章から3章まででChatGPTそのものについてまとめています。ここが基礎編になります。続く4章から6章までは実際に利用するにあたって知っておくべき内容をまとめています。仕事や勉強だけではなく、日常のシーンにおける意外な活用についても気付きがあるはずです。

　7章では利用する際の注意点について、8章ではブラウザとの連携をはじめとしたさらなる応用方法や拡張機能について記しています。

ChatGPTを豊かさのきっかけに

　繰り返しになりますが、ChatGPTはもはやエンジニアだけのものではありません。立場に関係なく使用できることに加えて、仕事やプライベートのあらゆる場面で役立てることが可能であるため、「秘

書」や「相談相手」などと表現されることもあります。

　AIの活用は、もはや普段の生活や仕事において避けられないものになっています。うまく活用することで毎日の生活がより豊かになることでしょう。この本がそのきっかけになることを願っています。

2023年4月吉日

目次

Chapter ① なぜ、今 ChatGPT なのですか。

Chapter ② ChatGPT はどんなことに使われていきますか?

Chapter ③ さあ、ChatGPT を、はじめよう。

Chapter ④ ChatGPTを、使ってみよう。

Chapter 5 ChatGPTで、遊ぼう。

Chapter 6 ChatGPTを、使いこなそう

Chapter 7 ChatGPTの苦手なこと、注意点を知っておこう。

なぜ、今 ChatGPT なのですか。

AI技術の進化に伴って、自然言語処理能力に優れた ChatGPTが大きな注目を集めています。 本章では、なぜChatGPTがここまで広まっているのか、 その理由と仕組みを解説します。

ChatGPTとは何ですか?

最近よく聞くようになったけど、ChatGPTって何?

まずは基本的なところを説明するね。

　ChatGPTとは、OpenAIというアメリカの研究機関が開発した言語処理技術を活用したチャットボットです。GPTとは「Generative Pre-trained Transformer」の略で、膨大な言語データを学習して文章生成を行うモデルのことをいいます。

　これまでにもAIは数多く開発されてきましたが、従来のチャットボットと比べて、ChatGPTは自然で流れるような文章生成ができる点が特徴です。GPTが大規模な文脈を学習でき、さらに、文脈に合わせて適切な返答を生成できるため、優れた会話を行えるのです。

また、チャットの形式で使いやすいという点も特徴的です。これも発表からまたたくまに世界中に広まった要因といえます。

一方で、ChatGPTには課題もあります。例えば、学習データに偏りがあると、不適切な返答を生成することがあります。

また、学習した文脈から外れた質問や特定のトピックに関する質問に対しては、適切な返答を生成することが難しい場合もあります。

現状、ChatGPTはどのようなことが得意で、逆にどのようなことに向いていないのかについて、本書でこれから解説していきます。

コンピューターに詳しくないけど使えるかな。

ここから詳しくみていこう!

なぜ、ChatGPTは 注目されているのですか?

毎日のようにニュースやSNSでChatGPTが取り上げられているね。

こんなに注目されているのには理由があるよ。

　ChatGPTが注目されている理由のひとつとして、人間に匹敵する会話能力が挙げられます。AI技術の進化により、流暢で自然な文章生成が可能となり、投げかけた質問に対して適切な回答を提供してくれます。

　さらに、活用方法も多岐にわたっており、文章の要約や翻訳、校正などの機能が利用できるため、あらゆる業務効率の向上に大いに役立ちます。

　また、オンライン環境が整っていれば容易に利用できる点も魅力的です。これらの要素が相まって、ChatGPTは、ビジネス活動において今後も大変重要な存在となることでしょう。

もちろんビジネスシーンだけではなく、日常生活でも活用することができます。

- 手紙の内容を考えてもらう
- ご飯の献立と必要な買い物リストを作ってもらう
- 旅行先のヒントをもらう
- 悩みごとの相談に乗ってもらう

これらは一例ですが、アイデア次第であらゆるシーンの手助けになってくれることでしょう。

また、本書では割愛しますが、ChatGPTを活用してプログラムを作ることもできます。例えば外国語が話せなくても自動翻訳機が訳してくれるように、ChatGPTを使うことでプログラマーでなくてもプログラミングできるようになる世界が到来しつつあるのです。

仕事ではもちろんだけど、日常生活にも役立てることができるのは嬉しいよね。

具体的にどんな活用方法があるのかは、これから見ていくよ。

ChatGPTはどうやって使うのですか?

早速使ってみたい!
でも、どこからアクセスできるの?

スマートフォンやパソコンから、誰でも簡単に
はじめることができるんだ。

　ChatGPTを利用するためにはアカウントを作成する必要があります。公式サイトにアクセスして、「Sign up」ボタンからアカウントを作成することができます。すでに使用しているGoogleなどのアカウントと連携させることも可能です。

Welcome to ChatGPT

Log in with your OpenAI account to continue

Terms of use | Privacy policy

Create your account

Please note that phone verification is required for
signup. Your number will only be used to verify
your identity for security purposes.

Email address

Continue

Already have an account? Log in

OR

G Continue with Google

Continue with Microsoft Account

また、すでにChatGPTが活用されているシステムやアプリケーションを利用する
という方法もあります。

その場合はそれぞれのシステムやアプリケーションの利用開始方法に則って利
用を開始しましょう。

隙間時間にすぐ始められるね。
さっそく今晩のメニューを聞いてみようかな?

話し相手にもなってくれるし、いろんな場面で
活用できるよ。

ChatGPTはどのような
仕組みなのですか?

使うのが楽しみになってきた!
だけど、どうやって回答を作っているのかな?

回答を作るプロセスを説明するね!

　ChatGPTは、自然言語処理技術の一種である「Generative Pre-trained Transformer」(GPT) がベースになっています。

　本書執筆時点で最新のモデルとなるGPT-4は、人の言葉をコンピュータが理解できるようにする技術の一種で、たくさんの文章を読むことで、言葉の意味や文章の作り方を学んでいます。インターネット上にある記事や本、ウェブサイトなどから、数多くの情報を学習します。

　回答生成のプロセスを簡単に記すと、次のようになります。

1. まず、GPT-4が大量の文章データを読み込み、言葉の意味や文法、文脈などを学習します。これによって、言語を理解する力が身についていきます。

2. 次に、質問や文章を入力することで、GPT-4が分析し、文脈や意味を理解します。

3. そして、トランスフォーマーという方法を使って、入力された文章と関連性のある単語やフレーズの組み合わせを考えます。この時、学習した知識が役立ちます。トランスフォーマーとはAIが文章を分析し、単語のつながりや意味を理解するために必要かつ重要な技術のことです。

4. 最後に、それらの単語やフレーズを組み合わせて、適切な回答や文章を生成します。

　このような学習と生成の仕組みによって、ChatGPTに質問をすることで自然で適切に回答してくれます。ただし、学習データに含まれていない情報や文脈については、適切な回答が難しい場合があります。
　また、学習データに誤りや偏見が反映されるケースもゼロではないため、回答の正確性を確認することはやはり重要といえます。

まだまだ勉強中だから、出来た回答が必ずしも正しいわけじゃないんだね。

そう、そのことを理解した上で使っていく必要があるよ。

ChatGPTは
どんなことに
使われて
いきますか?

ChatGPTが今後どのような場面で活躍する可能性があるのか、主な分野における例を紹介していきます。
それらをヒントにしながら、自分なりの活用方法を探していきましょう。

どのような分野でChatGPTは活用されていきますか?

基本的な使い方はわかったけど、どんな時に使えるの?

個人で楽しむのはもちろんだけど、ビジネスでの活用も期待されているんだ!

　ChatGPTは、さまざまな業界におけるビジネス活用が期待されています。以下に、いくつかの例を挙げます。

1. カスタマーサポート:顧客からの問い合わせに対して迅速かつ正確に対応するためのチャットボットなど。

2. 教育:テスト問題や授業資料の作成、採点における活用。

3. コンテンツ制作:ブログ記事やニュースレター、広告コピーの作成など。

4. 翻訳:自然言語処理技術を活用したテキストの翻訳。

5. 人事：履歴書のスクリーニングや面接の事前準備、社内コミュニケーションのサポートなど。

6. 営業・マーケティング：営業メールの作成、市場調査などの活動における活用。

　これらは一部にすぎませんが、ChatGPTは多くの業界において、業務効率の向上や新たな価値創造への活用が期待されています。

これまで人が担ってきた部分を、ChatGPT が代わりにできるようになるんだ！

日々のいろんな作業の効率が上げられるよ。

教育分野には、
どのように活用されますか?

学校などの教育現場でも、ChatGPTを活かせるところがあるかな?

得意分野だよ。活用することで負担を軽減できる部分がたくさんあるんだ!

教育分野での活用について、以下にいくつかの具体例を挙げます。

1. 質問への回答:生徒や学生の質問に対する、回答や説明の生成。これによって、教師の負担を軽減し、個別指導にも役立てられる。

2. 授業資料の作成:授業で使用する資料の作成サポート。教科や目的、キーワードなどをまとめて指示出しをすれば生成される。

3. 採点支援:特に歴史や地理などの事実に基づく問題や数学問題などの一意的な問題において、基準に基づく採点が可能。

4. 言語学習支援: 異なる言語を学ぶ際の翻訳や発音の練習、文法説明などのサポート。

5. オンライン指導: 学習者が自宅で学習する際に、質問に答えたり、学習計画を立てる手助けをしたりするオンラインチューター（指導者）としての活用。

6. 学習の進捗管理: 進捗を追跡し、適切なアドバイスやフィードバックを提供することで、学習効果を向上させる。

　これらの例からもわかるように、教育現場の効率化や学習者のサポートにも活用することが可能です。ただし、情報の正確性については確認する必要があります。適切な指導や学習のサポートが必要となる教育分野では、教師や専門家の介入が欠かせないことも覚えておきましょう。

テストの作成や採点がとても楽になるかもね!

役に立ててくれると嬉しいな。

医療分野には、
どのように活用されますか？

医療分野など専門性が高い分野には対応できるの？

ChatGPTだけですべてを担うことは難しいけど、サポートはできるよ！

医療分野での活用について、以下にいくつかの具体例を挙げます。

1. 診断支援：医師が患者の症状や情報を入力することで、可能性のある病気や状態を提示する。

2. 医薬品情報の提供：薬の効果や副作用、相互作用などの情報を提供して、適切な薬物選択や投与量の決定を支援する。

3. 患者向けの情報提供：医療用語を一般向けの言葉で説明したり、病気や治療法に関する質問に答えたりすることで、患者の理解を促進する。

4. 医学研究のサポート：医学研究や論文を検索・整理し、医師や研究者が関心の
あるトピックについて情報収集を効率化する。

5. 電子カルテの記録支援：医師が入力した患者の診察内容を、ChatGPTが適切な
表現でカルテに記載する。

6. 医療教育：医療従事者向けの学習資料の作成や、質問への回答を生成すること
で医療教育をサポートする。

　ただし、医療分野では正確性と倫理性が非常に重要であるため、専門家が最終
的な意思決定を行い、患者の安全とプライバシーに関する法規制を遵守して利用
する必要があります。

判断の材料にしたり、勉強や研究のサポート
に利用したりできるんだね。

最終的な判断は専門知識を持っている人に
お願いしてね。

顧客サービスには、どのように活用されますか?

お客様対応を行うことがあるけど、その場合にも活用できるの?

ChatGPTを使って、業務負担を軽減させることができるよ。

顧客サービスでの活用について、以下にいくつかの具体例を挙げます。

1. カスタマーサポート：顧客からの質問や問題に対して回答を提供する。チャットボットとして活用されることがほとんど。

2. よくある質問・FAQでの利用：顧客から頻繁に寄せられる質問に対する返答を自動化する。

3. 製品やサービスの推奨：顧客のニーズや興味に基づいて、適切な製品やサービスを推奨する。

4. アフターサービスサポート：製品の設定方法やトラブルシューティングに関する
   情報を提供する。

5. 予約や注文の受付：レストランやホテルなどの予約、商品の注文を自動的に受
   け付け、業務を軽減する。

6. 顧客エンゲージメントの向上：ソーシャルメディアやウェブサイト上で、顧客との
   対話を通じて関心を高め、ブランドとのつながりを強化する。

　ただし、ChatGPTは完璧ではないため、適切な対応やサポートが必要な場面に
応じてChatGPTから業務担当者へ切り替えることが重要です。顧客の疑問や問題
の解決サポートが主な活用方法だと考えるのが良いでしょう。

ChatGPTで対応する範囲と、人の手で対応
する範囲を決めることが大切だね！

そう、うまく使いこなすことで効率だけではな
く、顧客との関係性の向上にもつなげられる
はず。

広告・マーケティングには、どのように活用されますか?

仕事でマーケティングを強化していきたいんだけど、ChatGPTを取り入れられるかな?

広告やマーケティングの分野では、すでに活用されている例もあるよ。任せて!

　広告・マーケティング分野におけるChatGPTの活用について、いくつかの活用例を挙げます。

1. 記事コンテンツの作成：ブログ記事、ソーシャルメディア投稿、ニュースレター、広告コピーなどのマーケティングコンテンツを作成する。

2. 顧客ニーズの分析：顧客の嗜好や行動を分析し、ターゲットオーディエンスに合った広告やマーケティング戦略立案をサポートする。

3. 広告のパーソナライズ：コンバージョンを上げるために、顧客の興味やニーズに合わせて広告クリエイティブやコピー生成をサポートする。

4. ソーシャルメディアエンゲージメント：SNS上でフォロワーとの対話やフィードバック収集をサポートする。

5. メールマーケティング：メールマーケティングに効果的な件名やコンテンツを生成し、開封率やクリック率向上を支援する。

6. A/Bテスト：クリック数やコンバージョン率を分析してA/Bテストの精度向上をサポートする。

　すでにChatGPTは広告・マーケティング業界で幅広く活用されており、効果的な戦略立案やコンテンツ生成をサポートしています。ただし、倫理的な観点やプライバシーに注意し、適切な使い方をすることが重要です。

業務の効率が上がりそうだね。さっそく試してみるよ!

紹介した他にも、良い使い方があったら教えてね。

クリエイティブには、どのように活用されますか?

創造の分野でも活かせそうだね。

最近では徐々に使われ始めているよ。

　クリエイティブ分野における活用について、以下にいくつかの具体例を挙げます。

1. ストーリーの構想：小説や映画のストーリーのアイデアやプロットの作成をサポート。キャラクターの設定や対話、シーンの描写など、さまざまな要素を生成することが可能。

2. 広告コピーの生成：販促したい商品やサービス、ターゲットとなる顧客、求める効果などの具体的な情報を提供することで生成のサポートが可能。

3. アイデアのフィードバック：「このキャッチコピーは効果的か?」「このデザインは視認性が高いか?」といった具体的な質問を投げることで、意見出しが可能。

4. 音楽制作: 歌詞のアイデアを提供することが可能。メロディやリズムを直接作ることはできないが、楽曲校正やアレンジのアドバイスも行える。

5. 編集と校正: 文章表現の修正や編集が可能。「この文章をもっとフォーマルに」「短くまとめてほしい」「子どもにもわかるように書き直して」といった具体的な指示を出すことで、修正が可能。

6. ディレクションのサポート: プロジェクトの進捗管理やタスクの優先度付け、指示出しのサポートなどでディレクション業務をサポートすることができる。

　これらの例は、クリエイティブ分野でChatGPTがどのように活用されるかの一部です。技術が進化し続けることで、今後さらに多くの可能性が開かれるでしょう。

アイデア出しや整理のお手伝いに活用できそうだね。

あくまで補助が目的だけど、力になれることも多いはず！

Chapter ③

さあ、
ChatGPTを、
はじめよう。

この章では、ChatGPTの登録方法や基本的な使い方について分かりやすく解説します。
使い方の基本をマスターし、まずはAIとの対話を楽しみましょう。

ChatGPTの登録方法。

基本的な使い方はわかったから、まずは登録してみようかな。

誰でも簡単にスタートできるよ！

一般的な登録の手順は下記になります。

1. ChatGPTのサイトにアクセスし、右上の「サインアップ」ボタンをクリックします。

2. 必要事項（利用者名、メールアドレス、パスワード）を入力し、アカウントを作成します。

3. アカウントを作成した後、トップページにログインします。

4. トップページにある検索バーに質問内容を入力し、投稿します。

以上の手順で手軽にアカウントを作成し、基本的には無料で利用を開始することができます。

　ビジネス目的で利用する場合には、無料版と比較してより高度な精度と性能を持つ有料版のプランもあります。

　また、アプリケーションの開発等でChatGPTに使われている技術を応用する際には、APIを利用するための料金が発生するので、規約や条件はOpenAIの公式ウェブサイトを確認しておきましょう。

日常的に使う分には、無料版でも十分だね。

目的に合わせて無料版か有料版を選んでみて。

ChatGPTは、日本語で使えますか?

> アメリカで開発されたと聞いたけど、日本語でも使えるの?

> 大丈夫! 日本語にも対応しているよ!

　ChatGPTのウェブサイトは英語表記になっていますが、利用自体は日本語でも全く問題なく行えます。日本語モデルを使用するために特別な操作は必要なく、こちらから日本語で質問を投げかけることによって、日本語で回答が返ってきます。

 こんにちは！ご質問やお話があれば、どんなことでもお気軽にお聞きください。お手伝いできることがあれば喜んで対応します。

↑「こんにちは」とプロンプトに入れて出てきた文章

　しかし、もともとが米国で作られたシステムのため、英語がベースの言語となっています。現時点で英語と同じように高い精度で処理するためには、まだまだ大量の日本語テキストを学習する必要があります。

また、日本語には漢字、ひらがな、カタカナの3種類の文字があり、多様な文法や表現方法が存在するため、日本語の自然言語処理にはいくつかの課題があります。特に、日本語は単語ではなく文脈に依存する言語であるため、単純なルールに基づく学習ではなく、ディープラーニングを用いたアプローチが有効と考えられています。

今後、OpenAIが様々な言語モデルを改善し、日本語をはじめとした多言語の処理精度をさらに向上させていくことが期待されています。

よかった、安心して使えるな。

今後ももっと日本語の精度が上がっていくはずだよ。

ChatGPTの無料版と
有料版の違いは何ですか?

無料版と有料版があると聞いたけど、違いは
あるの?

得意なところが違うから、目的によって使い
分けてほしいな!

　2023年2月1日には有料版となる「ChatGPT Plus」がアメリカで発表され、日本で
も2023年2月11日から使用が可能になっています。ChatGPTの有料版と無料版の
主な違いは以下の通りです。

使える機能の違い

　無料版は「GPT-3.5(Legacy)」という機能しか使えませんが、有料版はそれに加
えて「GPT-3.5(Turbo)」と、そして「GPT-4」が使えます。

ピークタイムのアクセス

　有料版は無料版と違い、ピークタイムでもChatGPTにアクセスできる(使用でき
る)という特徴があります。ChatGPTは世界中で利用されており、アクセスが集中す
るタイミングでは一時的に利用できなくなることがあります。有料版では優先して
アクセスできるようになります。

応答の制限

　無料版では質問と回答の応答に制限があり、制限を超えると一定時間応答ができなくなります。一方、有料版では制限がなく、常にChatGPTを利用できます。ただし、「GPT-4」の利用には制限があります。

カスタマイズ性

　有料版は、利用者のニーズに合わせてカスタマイズすることができます。例えば「ファインチューニング」と呼ばれるもので、既存の学習モデルを好みで調整することができるようになります。ただし、これを行うにはプログラミング言語を扱える必要があります。

ユーザーサポート

　有料版は、新機能を優先して使えるなど、無料版と比べてより高度かつスムーズなサポートオプションがあります。

　無料版は、初心者に向けたデモや簡単なタスクに利用することができますが、より複雑なタスクを処理する場合には、有料版を利用するのが良いでしょう。

基本的な使い方はわかったから、さっそく使ってみようかな。

無料版でも、使える場面はたくさんあるよ。実際に何ができるのか見ていこう！

Chapter 4

ChatGPTを、
使ってみよう。

この章では、ケーススタディを通じて活用のポイントを解説して、AIをより効果的に使いこなすための実践方法を紹介していきます。
目的に合わせて活用する上でのヒントが見つかるはずです。

ChatGPTにできること1：
質問に回答する。

ChatGPTをさっそく使ってみようかな。

うまく回答を生成してもらうためのコツがある
から、意識してみて。

ChatGPTでより良い回答を得るために、以下のポイントを意識してみましょう。

明確で具体的な質問をする

　曖昧な質問よりも具体的な質問の方が、詳細で正確な回答が得られる可能性が
高まります。

背景情報を提供する

　質問に必要な背景や状況に関する情報を入力することで、より適切な回答が得
られやすくなります。

短くシンプルな質問をする

　短くてシンプルな質問であるほどChatGPTは文意を理解しやすく、適切な回答を
生成しやすくなります。

仮定や条件を明記する

　質問が仮定や特定の条件に基づいている場合は、それを明記することで、適切な回答が得られやすくなります。

確認の質問をする

　不確かな点や曖昧な部分がある場合、確認の質問を通じて情報を整理し、より正確な回答を得ることができます。

必要に応じて質問を繰り返す

　回答が不十分な場合や、さらに詳細が必要な場合は、質問を繰り返すことでより適切な回答を得ることができます。

　以上が質問に対して適切な回答を生成しやすくするポイントですが、その回答が必ずしも正確であるとは限りません。重要な決定や情報の確認には、他の信頼性のある情報も参照し、必要に応じて回答を編集する必要があることは覚えておきましょう。

しっかりと意図を伝えることが重要なんだね。

やってみるうちに自分なりのコツをつかめるようになるはず！

ChatGPTにできること2： 文章や手紙を作成する。

長く会っていない友だちに手紙を書こうと思うんだ。

せっかくだったら活用してみて！

ChatGPTを使って文章を作成する方法について、「友人への手紙」を例に説明します。

1. 手紙の目的を明確にする：まずは、手紙の目的をはっきりさせます。例えば、「友人に近況報告をしたい」とか、「友人に感謝の気持ちを伝えたい」などです。

2. 背景や状況の情報を提供する：友人との関係や、共有した経験、話題にしたい出来事など、手紙の背景となる情報を提供してください。これにより、よりパーソナルで適切な文章が作成されます。
例：「私と友人は高校時代からの親友で、最近はお互いに忙しくてあまり連絡が取れていない状況です。彼女が最近プロジェクトで大成功を収めたことを知り、お祝いと励ましの言葉を伝えたいです。」

3. 文章の構成を指示する：手紙の構成や順序について指示を出しましょう。例えば、「はじめに近況報告をし、次にお祝いの言葉を伝え、最後に次の再会を楽しみにしていることを伝えたい」といった具合です。

4. スタイルやトーンを指定する：手紙のスタイルやトーンについても指定してください。例えば、「カジュアルでフレンドリーなトーン」や、「丁寧でフォーマルなスタイル」などです。

　これらのポイントに基づいたプロンプトの例が以下です。

「高校時代からの親友に宛てた手紙を書いてください。私たちは最近忙しくてあまり連絡が取れていません。手紙では、近況報告をした後、彼／彼女が最近プロジェクトで大成功を収めたことをお祝いし、励ましの言葉を伝えてください。最後に、次の再会を楽しみにする様子を表現してください。カジュアルでフレンドリーなトーンで書いてください。」

　そのほかにもエッセイやレポートなどの文章生成においても活用できることはいうまでもありません。より適切な文章を生成するには、何度も試行錯誤し、適切なフィードバックを与えることが重要です。

久しぶりで緊張していたけど、会うのが楽しみになってきた！

そのためのChatGPTだと思ってくれると嬉しいな。

ChatGPTにできること3：文章のタイトルをつける。

文章の内容に合った、良いタイトルが思いつかない…

一緒に考えることもできるから、任せて。

　ChatGPTを使って文章のタイトルを上手に作成するためには、コツがあります。以下の手順とポイントを参考にしてみてください。

1. まず、文章の内容や目的を明確にすることが重要です。タイトルをつけたい文章のポイントが一目で伝わるように、重要なキーワードを把握しておきましょう。

2. 次に、ChatGPTにわかりやすく簡潔で、具体的な指示を出しましょう。次の項目を明確にすると、より精度が上がります。

テーマ：何に関する文章か。

ジャンル：ノンフィクション、フィクション、ドキュメンタリーなど。

ターゲット：年齢、性別、属性、抱えている課題など。

3. 上手く回答を得るためには、プロンプトを工夫することも大事です。質問形式にしたり、複数のキーワードを組み合わせたりすることで、より適切なタイトルが生成される可能性が高まります。

4. 提案されたタイトルが適切かどうか確認しましょう。もし気に入らなかった場合は、さらに具体的な指示を出してみましょう。

　タイトルは、「どんな人に読んでほしいか」「どんなポイントを伝えたいか」を明確にすることが大切です。一度で適した回答が得られなくても何度か繰り返すことで、より理想的な結果が得られるはずです。

「どんな方向性にしたいか」はこちらで明確にすることが重要なんだね。

いろんな文章でチャレンジしてみてね。

ChatGPTにできること4：
文章の目次（構成）を作成する。

論文やレポートを作成するなら、目次も必要かな？

もちろん手伝うよ！　ポイントを押さえてやってみて。

　「次の文章の見出しをまとめて目次を作って」と指示を出せば、目次を生成してくれます。その際には「大見出し」とその下の階層にあたる「中見出し」もしくは「小見出し」をあらかじめ見やすく整理しておくことで、より正確に目次としてまとめてくれます。その際の手順とポイントを下記にまとめました。

1. 具体的な要望を明確に伝える：キーワードや文章の種類を伝えましょう。例えばレポート、研究論文、エッセイなど、目次を作成したい文章のジャンルを伝えることで、目的に沿った目次を生成しやすくなります。

2. 目的や対象者を示す：文章の目的や読者層を明示することで、より適切な構成を考慮して目次を生成します。

3. 重要なセクションをリストアップ：目次に必ず含めたいセクション（主要なトピックや章、節）があれば、それをChatGPTに伝えておくことで、より望ましい結果が得られます。具体的には、文書の構成要素である「はじめに」、「背景」、「方法論」、「結果」、「考察」、「結論」などがセクションの例として挙げられます。

4. 複数の提案を試す：一度の試行で完璧な目次が得られないこともあります。異なる表現やキーワードを用いて、何度か試してみましょう。

5. 得られた目次を再構成：ChatGPTが生成した目次が完璧ではない場合であっても、それをベースに手動で調整することで、理想の目次を作成できます。

　これらのコツを活用しながら、ChatGPTを使って効果的に目次を作成しましょう。適切な情報を伝えることで、理想的な目次が得られるはずです。
　一度に入力できる文字の量は日本語で4,000字程度なので（2023年4月現在）、長い文章の見出しをまとめる場合には注意が必要です。

ChatGPTがあれば、文章作成に関わるものはどんどん進められそう！

質問の仕方を工夫することで、より早く、より希望に近いものを回答してくれるはずだよ。

ChatGPTにできること5: 文章を対象者にあわせて 書き分ける。

資料を作っているんだけど、初心者や子どもでも読める表現に直せないかな?

ChatGPTに頼んでみよう!

対象者にあわせて文章を書き換えるには、次の手順に従ってください。

1. 対象者の情報を収集する: 対象となる人物の年齢や知識レベル、趣味、文化的な背景などを把握しましょう。これらの情報が文章の書き換えに役立ちます。例えば、「小学生向け」「専門知識がない人向け」など誰に読んでもらうのかを明確にしてください。

2. 目的を決める: どのように文章を書き換えたいかをはっきりさせましょう。例えば、難しい単語を簡単な言葉に変えたい、子どもが理解できるようにする、購入意欲を促したい、などです。

3. 具体的な要件を指定する: 書き換える際の具体的な要件を指定してください。例えば、「簡潔に」「丁寧に」「フレンドリーに」など、文章のスタイルやトーンに関する具体的なリクエストが効果的です。

4. 分かりやすい例を提供する: もしあれば、対象者にあわせた書き換えのサンプルとして例となる文章を入力してみましょう。そうすることで、より具体的な文章を生成することができます。

　これらの手順を踏むことで、ChatGPTを使って対象者にあわせた文章の書き換えができます。エンジニアでなくても簡単に試すことができますので、ぜひ挑戦してみてください。

これで誰でも読みやすい資料ができるかも!

文章を読むのが楽しくなると良いな。

ChatGPTにできること6：
文章を添削（校正）する。

文章を書いたけど、誤字や表現の間違いが
あった…他にもあったらどうしよう。

大丈夫、一緒に探してみよう。

ChatGPTを使って文章の添削や校正を行うには、「**この文章を文法やスペル、表現の改善の観点から添削・校正してください：（文章）**」と入力すると、行ってくれます。

より正確な結果を求める場合は、以下のポイントを押さえてください。

添削・校正の目的を明確にする

文章の添削や校正で重点を置きたいポイントを決めましょう。例えば、「文法やスペルのチェック」「表現の改善」「文章の構成の最適化」など、求める添削・校正の内容を明確にすることです。

分かりやすい文章にする

対象となる文章を簡潔で明確にし、ChatGPTが理解しやすいようにしてください。不明瞭な表現や専門用語が含まれる場合は、適宜説明を追加してください。

生成された文章を確認する

　ChatGPTが添削・校正した文章を確認し、目的に沿っているかどうかをチェックしましょう。適切でない場合は、指示を調整して再度試してください。

繰り返し試行する

　何度か試行錯誤することで、より適切な添削・校正ができるようになります。最終的に満足のいく文章になるまで、手順を繰り返しましょう。

　これらの手順に従って、ChatGPTを活用して文章の添削・校正を行うことができます。それでもやはり最終的な確認は利用者にゆだねられますので、必要に応じて専門の校正者に協力を仰ぐことも検討しましょう。

文章を褒めてくれたり、励ましてくれたりするからやる気も出るな。

一人で行うよりも楽しく作業を進められるね！

ChatGPTにできること7: 質問文（問題文）を作成する。

テスト問題を作らなきゃ！　でもゼロから作るのは時間がかかるなぁ。

キーワードや条件があれば、作ることができるよ。

ChatGPTを使って問題文を作成する手順を説明します。

1. 問題のテーマを決める: 作成したい問題の主題やカテゴリを決定しましょう。例えば、数学、歴史、一般知識、科学などの分野を選びます。

2. 難易度と対象者を設定する: 問題の難易度や対象者を明確にしましょう。これによって、問題が適切なレベルで作成されるようになります。

3. ChatGPTに指示を出す: 問題文を作成してほしい内容、テーマ、難易度、対象者を含めた指示を作成し、ChatGPTに伝えましょう。
例:「中学生向けの簡単な数学の問題を作成してください。」

4. 生成された問題文を確認する: ChatGPTが作成した問題文を確認し、テーマや難易度、対象者に適しているかどうかをチェックしましょう。もし適さない場合は、指示を調整して再度試してください。

5. 繰り返し試行する: 何度か試行錯誤することで、より適切な問題文が作成できるようになります。最終的に満足のいく問題文になるまで、手順を繰り返しましょう。

【コツ】

●問題の詳細を明確にすることで、ChatGPTが理解しやすくなり、適切な問題文が生成されやすくなります。
●生成された問題文が正確かどうかを確認する際には、専門知識がある方にチェックしてもらうことを検討してください。
●問題文のバリエーションを増やすために、異なる指示やパラメータを試してみましょう。

これらの手順とコツを活用して、ChatGPTを使って問題文を作成することができます。

いろいろ応用できそうだね。

作った問題を実際に使うときは、正確性の確認を忘れずに!

ChatGPTにできること8: 問題の答えを作成する。

> 問題の解答も作ってくれたらすごく楽だなあ。

> 何をしてほしいのかを詳しく明示することが重要だね。

ChatGPTを使って問題の答えを作成するには、以下の手順に沿って行うと、生成されやすくなります。

1. 問題文を正確に提示する: 問題文をできるだけ正確に記述しましょう。数学の問題であれば数式や変数、条件を明示し、英語の文法問題であれば対象となる文を正確に打ち込む必要があります。

2. 指示を明確にする: 問題文に対する具体的な指示を明確にしましょう。例えば、「この数学問題の解答を教えてください」や、「この英文の正しい表現は何ですか?」というように、「何をしてほしいか」の指示を出してください。

3. 必要に応じて追加情報を提供する: 問題に関連する重要な情報や制約条件が あれば、それらを明示してください。例えば、数学の問題であれば「特定の解法 を使わなければならない」といった場合や、英語の文法問題であれば「特定の 文法ルールに焦点を当てたい」という場合などです。

4. 質問を簡潔にまとめる: 質問を簡潔でわかりやすい形式にまとめてください。こ れにより、私が質問の意図を正確に理解し、適切な回答を提供しやすくなりま す。

【注意点】

　ChatGPTはさまざまな用途に活用できるAIですが、必ずしも正確な答えを生成 できるわけではありません。生成された答えを鵜呑みにせず、自身で確認するか、 専門家にチェックしてもらうことが重要です。特に、複雑な問題や専門知識が必要 な問題の場合、ChatGPTが正確な答えを生成できる可能性が低くなります。

　以上が、ChatGPTを使って問題の答えを作成するコツです。
　これを応用してクイズを出し合うなど、遊びにも活用することができます。

どう答えてほしいのかを簡潔に伝えることが 大事なんだね!

コツを掴めば、欲しい回答をスラスラ引き出 せるようになるよ!

ChatGPTにできること9 : 文章の要約をする。

初心者にもわかるように資料を要約したいけど、時間がない!

要約は得意分野だよ!

　ChatGPTを活用した文章の要約は「次の文章を要約して:(文章)」と指示することで可能ですが、よりクオリティをあげるには以下のポイントを意識してみましょう。

対象者の特徴を明確にする

　要約を読む対象となる人の年齢、専門知識、興味、文化的背景などを考慮しましょう。これにより、適切な語彙や表現を考慮して要約を生成します。

要約の長さを指定する

　要約の目的に応じて、その長さを指定してください。例えば、「この文章を100文字以内で要約してください」のように具体的な要求を伝えると、より適切な要約が得られます。

主要なポイントを強調する

　要約に絶対に含めたい主要なポイントがある場合は、それらを強調して指示してください。また、必要に応じて文章内容の背景や書かれた目的を補足することも重要です。

　プロンプトの例としては、「**この論文を、中学生でも理解できるように簡潔に要約してください。要約は500文字以内で、専門用語はできるだけ避け、簡単な言葉で説明してください。**」というものが良いでしょう。

　これには目的（中学生向け）、要約の長さ（500文字以内）、言語のレベル（簡単な言葉）が明確に指定されています。また、実際に要約する文章を提示するか、その文章のリンクや参照情報も提供してください。

④
ChatGPTを、
使ってみよう。

　ChatGPTが生成した要約が不十分である場合や、改善の余地がある場合は、具体的なフィードバックを提供して再度要約をリクエストすることで、要約の精度を上げていくことができます。

　ちなみに小説や映画のストーリーの要約を行うこともできます。この場合も、抽出の精度は内容や文脈、指定された文章の範囲によっても異なりますので、いろいろと試してみましょう。

どんどん読みやすい文章になってきたよ。

一度で上手くいかなかったら、条件を見直してみてね。

ChatGPTにできること10：文章の翻訳をする。

海外のニュースやウェブサイトを読めたら素敵だよね。

文章翻訳もできるからやってみて。

　ChatGPTを使って、文章の翻訳を行うには、「**この文章を●語に翻訳してください：（文章）**」と指示すると生成してくれます。より精度が高い翻訳を行うためのポイントをいくつか紹介します。

文脈や背景情報を提供する

　翻訳対象の文章に関連する文脈や背景情報があれば、それらを説明してください。特に専門用語や文化的なニュアンスが含まれる場合は、その情報が翻訳の正確さに役立ちます。

翻訳のニュアンスやスタイルを指定する

　特定のニュアンスやスタイルで翻訳が必要な場合（例：フォーマルな文体、口語的な表現）は、それを明示してください。これにより、ChatGPTが適切な翻訳を生成しやすくなります。

略語や専門用語に注意する

　略語や専門用語の翻訳は、精度が低下することがあります。できるかぎり略語や専門用語、または俗語が含まれる場合には注意をして確認するようにしましょう。

　これらのポイントを意識してみてください。出来上がった翻訳文章が不十分な場合はフィードバックして、複数回リクエストしてみましょう。そうすることでより精度が高い翻訳を実施することができるはずです。

　ChatGPTは英語がベースとなっているモデルのため、英語との翻訳は精度が高いことが期待できますが、学習データが少ない言語は精度が下がる場合があります。そうしたケースや専門的な翻訳や高度なニュアンスが求められる場合は、プロの翻訳者やネイティブスピーカーに依頼することも検討してください。

　また、海外のニュース記事や小説作品を翻訳することもできますが、正確さや著作権の問題には十分に注意を払って活用しましょう。

得意だけど、まだ完璧といえるほどではないんだね。

質問を工夫することで、より良い翻訳ができあがるはず!

ChatGPTにできること11：
文章の見出しを作る。

見出しをつけて文章をもっと読みやすくしたいな。

文章からキーワードを抽出して、つけることができるよ!

　実際の文章を提示して「見出しを提案してください」と指示することで、特定の文章の見出しを作ることができます。ここではその際の指示のバリエーションについていくつか紹介します。

読者の興味を引く要素を指定する

例:「この文章は成功した起業家のストーリーを紹介しています。読者の興味を引く見出しを提案してください。」
⇒「挫折を乗り越え、成功への道を切り拓いた起業家の物語」「起業家の成功法則:革新的なアイデアがもたらした転換点」etc.

読む理由を与える誘い文句を使用する

例:「この文章は効率的な勉強法について説明しています。読者に記事を読む理由を提供するような見出しを作成してください。」

⇒「時間を無駄にしない！効率的な勉強法で成績アップを目指そう」「もう勉強に迷わない！効果的な学習方法で知識を確実に吸収」etc.

整理されている印象を与えるために数字を使用する

例:「この記事ではストレス軽減に役立つ5つの方法を紹介しています。数字を含めた見出しを提案してください。」

⇒「心身の健康をサポート！効果的なストレス軽減法5選」「ストレスフリーな毎日を送るための5つの秘訣」etc.

好奇心を引き出すために疑問形を使用する

例:「この文章は、効果的なコミュニケーションスキルについて説明しています。疑問形の見出しを提案してください。」

⇒「新卒社員必見！ビジネスマナーをマスターしてキャリアを成功させる方法は？」「あなたは本当に大丈夫？新人社員が知っておくべきマナーとは？」etc.

　以上、見出しを作る際の応用を紹介しました。そのほかにも文章に文化的な背景や特徴的な情報があればそれを提供するなど、元の文章の補足をすることも大切です。生成された見出しに対してフィードバックを与えることが重要なのは、言うまでもありません。

興味を持ってもらえる見出し作りができそう！

どういう文脈で、どんなキーワードが抽出されるのか試してみるのも面白いかも。

ChatGPTにできること12：
アイデア出しをする。

毎日の生活のアイデア出しの手伝いをしてくれると助かるな。

お手伝いできるよ！　活用してみて。

　ニーズや目的に応じて、さまざまなアイデアを提案することができます。「どんな場面で、何をどうするアイデアがほしいのか」を明確にして質問してみましょう。下記にいくつか例を挙げてみます。

商品やサービスのアイデア

例：「10代を対象にした、環境にやさしい文具のアイデアを提案してください。」
⇒再生プラスチックやバイオプラスチックで作られた「エコペン」や、種が埋め込まれた再生紙を用いて使い終わった後に土に埋めると花や草が育つ「シードペーパー付箋」etc.

日々の暮らしを豊かにするアイデア

例:「夫婦と子供2人の家庭で、毎日の献立に悩まなくなるためのアイデアを教えてください。」

⇒曜日ごとにテーマを設定してそのテーマに沿った料理を作る「テーマデーの設定」、友人や近所の人たちと料理を持ち寄ることでレパートリーを広げる「交換会やシェアリングの実施」etc.

勉強を後押しするアイデア

例:「気乗りがしない苦手な教科の勉強を楽しくするアイデアを教えてください」

⇒苦手な教科に関連する現場や施設を訪れて実際に見ることで興味を持つ「実地調査」、動画やポッドキャストを通じて学んでみる「学習方法の変化」etc.

　これらは一例ですが、工夫次第で様々なアイデアを提案してくれます。

　質問を限定的にする、もしくは具体的な要望を含めると、より希望に沿った回答を生成してくれるようになります。例えば「限られた予算の中で」「多少お金がかかってもいいので」「道具やツールを用いないで」などです。

　いろいろ試してみることで、傾向が見えてくるはずです。

生活も仕事も、楽しくなりそう。

アイデアのフィードバックもできるから、思いついたら聞いてみてね。

ChatGPTにできること13:
データを表にまとめる。

データをもとに表をつくることはできる?

苦手な分野のひとつかも…でも、できることはあるよ。

　ChatGPTには直接的に表やグラフを作成する機能はありません。しかし、データをテキスト形式で整理して、下記のようなシンプルな表を作成することはできます。
「カテゴリA: 25　カテゴリB: 15　カテゴリC: 40」

```diff
Copy code

+------------+--------+
| カテゴリ   | 数量   |
+------------+--------+
| カテゴリA  |  25    |
| カテゴリB  |  15    |
| カテゴリC  |  40    |
+------------+--------+
```

カテゴリと数量、日付とイベントなど、2つの要素がペアになっているデータが扱いやすいです。例えば、「曜日ごとの献立を表にまとめてください。月曜日は卵焼き、火曜日は鮭の塩焼き、水曜日はハンバーグ、木曜日はカレーライスです。」と指示を与えると、下記の表を作成します。

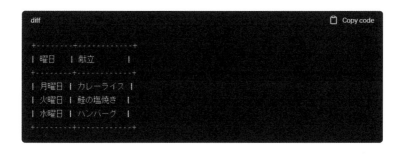

　ChatGPTで作った表はコピー&ペーストもできます。ただ、実際に表やグラフを作って管理するには表計算ソフトウェアを利用することをおすすめします。

自分でイチからつくる必要がなくなりそう。

簡単なものだったら、どんどん利用して作ってね!

ChatGPTにできること14：
まとめた表を集計する。

表を集計できたら、かなり仕事が楽になるな。

アドバイスはまかせて。

ChatGPT自体には直接的に表を集計したり、統計をとったりする機能は備わっていませんが、例えば、平均値、中央値、最大値、最小値、合計、標準偏差などの基本的な統計を計算することは可能です。

「次のデータについて、合計、平均、最大値、最小値を計算し、それらの統計情報を含めた表を作成してください。
A: 数 10
B: 数 15
C: 数 20
D: 数 25」

このような指示を与えると、次の表を作成してくれます。

	数量	統計情報
A	10	最小値
B	15	
C	20	
D	25	最大値
合計	70	
平均	17.5	

　この作業は、家計簿をつける、食事の栄養管理を行うなど日常のワンシーンで手軽に活かせることはもちろん、勉強の進捗管理や学習パフォーマンスの把握など、勉強面にも役立てることができます。

　細かい表の集計や管理は専用のツールを使用する必要がありますが、「ChatGPTにできること13：データを表にまとめる。」でも述べたように、簡易的なものであればChatGPTで作ることができるので、ぜひ活用してみましょう。

集計作業もやってくれると助かるね。

いろいろ試してみることで意外な活用方法も見つかるかもよ!

ChatGPTにできること15：
ブレストをする。

仕事のアイデアがうまくまとまらないなぁ…

アイデア整理のお手伝いもできるよ。

　具体的なトピックについて、助言や意見、提案を出してもらうことができます。例えば、「**新しいスマートフォンアプリのアイデアとしてARを駆使して仮想ペットと散歩するアプリを考えているけど、意見をもらえますか。**」と聞いてみます。そうすると意見を述べてくれて、提案として以下のような項目を出してくれます。

1. ペットのカスタマイズ機能：ユーザーがペットの外見や性格を独自にカスタマイズできるようにします。
2. 仮想アイテム機能：散歩中に仮想アイテムを集めたり、ペットに与えたりできるようにします。
3. ペットの成長機能：ペットがユーザーと一緒に散歩することで成長し、新しい能力を獲得できるようにします。

4. 健康促進のための機能：歩数や消費カロリーを追跡し、ユーザーの健康状態を向上させるようにします。

5. 他のユーザーとの交流機能：ユーザーがお互いのペットを見せ合ったり、一緒に遊んだりできるようにします。

　このように、さらにアイデアを深め、改善し、絞り込むためのヒントをくれるはずです。ブレーンストーミングには期日やコストといった制約条件を設ければ、より現実的な意見や提案を出してくれるようになります。

　提案されたアイデアはヒントとして活用し、そこに独自の視点を加えたり状況と照らし合わせたりして検討していくことが重要です。

提案も嬉しいけど、意見を出してくれるのもやる気が出るね！

思いがけないヒントが得られるかもよ。

ChatGPTにできること16：
ToDoリスト（タスクリスト）を作る。

今日やらなきゃいけないことを、忘れてた！

ChatGPTで「やることリスト」を作ってみたら？

　リスト作成に必要なカテゴリーやタスクの詳細を提供すると、それに基づいてリストを整理して提案することができます。以下は一例です。

ToDoリストの例：

仕事関連

a. メールチェックと返信

b. 進行中のプロジェクトの進捗確認

c. 明日の会議の資料準備

家庭・家事

a. 洗濯物を干す

b. 買い物リスト作成

c. 夕食の準備

個人・趣味

a. 週末の映画鑑賞計画

b. 新しいレシピの検索

c. ヨガの練習

　リスト作成に関する具体的な要件や目的がある場合は、それらの情報を提供していただくことで、より適切なToDoリストやタスクリストを提案できます。また、優先順位や締め切りを含めることもできます。

ToDoリストの例（優先度・締め切り付き）：

仕事関連

a. メールチェックと返信（締切：今日中）

b. 進行中のプロジェクトの進捗確認（締切：明日）

c. 明日の会議の資料準備（優先度：高）

・・・

　このように、ChatGPTはニーズに応じてToDoリストやタスクリスト作成の手助けをします。

やることが見えると気分が良いね。

実際の管理は専用のツールを使ってね。

ChatGPTにできること17：
EXCELの関数を作る。

Excelの関数って使いこなすのが大変だよね。

聞いてくれたらアドバイスできるよ!

　ChatGPTはExcel関数の使い方について教えてくれたり、または関数そのものの作り方を教えてくれたりもできます。以下のようパターンで質問をして、使い方を聞いてみましょう。

Excelの関数名を含めて使い方について質問する

「EXCELでSUM関数を使って、A1からA5までのセルの合計を求める方法を教えてください。」

「VLOOKUP関数を使って、別のシートのデータを参照する方法を教えてください。」

「COUNTIF関数を使って、B列にある特定の値の数を数える方法を教えてください。」

セル範囲を含めて関数について質問する

「B1からB10までのセルの平均を求めるためにはどのような関数を使えばよいですか?」

「C1からC20までのセル範囲にある値の中で、最大値を求める方法を教えてください。」

「D1からD30までのセル範囲にある値の中で、特定の条件を満たすものの数を数える方法を教えてください。」

　以上のように、具体的に関数名やセル範囲などの情報を含めて「どのような作業をやりたいのか」を明確にして質問することがポイントです。

関数って苦手意識があったけど、これなら簡単に使えそう!

不得意なところをサポートしてもらうにはぴったりだね!

ChatGPTで、遊ぼう。

ChatGPTは、使い方次第で趣味や遊びにも活用できます。
この章では、AI技術をフルに活用して、日常生活をより
豊かにする活用方法を紹介していきます。
これまで以上に趣味を追求したり、遊びのレパートリー
を増やしたりするヒントとしてご活用ください。

ChatGPTにできること18： 物語（小説）を作る。

小説を読むのが好きなんだけど、自分でも書いてみたいって思ってるんだ。

もしかしたら力になれることもあるかも？

　ストーリーの概要やアイデアを提供することで、それに基づいて文章を作成することができます。具体的なシーンやキャラクターの情報、および物語の進行に関する指示があると、より詳細で魅力的な文章を提供することが可能です。

初めのシーンや設定を提供して描き始める

　物語の初めのシーンや設定を提供して、それに基づいて物語を生成させてください。例えば、「森の中で目覚めた主人公が、不思議な生き物に出会う物語を書いてください」とリクエストしてみましょう。

物語の途中から始める

　すでに物語の一部がある場合、その続きを書かせることができます。例えば、「物語の続きを書いてください：（既存の物語のテキスト）」とリクエストしましょう。

また、次のような方法で創作プロセスをサポートすることもできます。

1. プロットのアイデア出し：物語の基本的なプロットやストーリーラインを考える際のインスピレーションを提供。

2. キャラクター開発：キャラクターの性格やバックボーン、外見などの要素を考案。

3. 対話やシーンの作成：物語の特定のシーンやキャラクター間の対話を作成。

4. 描写や文体の改善：物語の描写や文体をブラッシュアップ。

　物語や小説を作成する際には、具体的なトピックや目的を指定することで、ChatGPTが関連するアイデアや提案を出しやすくなります。

具体的なトピックや内容を指定することで、
より理想に近いヒントを出せると思うよ！

これならわたしでもできるかも！

ChatGPTにできること19：
作詞をする。

音楽をよく聴くんだけど、好きな歌詞って元気が出るよね。

ChatGPTを使って、自分で歌詞を作ることもできるよ！

以下の手順に沿って行うと歌詞を作ることができます。

1. まずはじめに、歌詞のテーマやスタイル、ジャンルなどの情報を考えてください。これによって、より適切な歌詞を生成しやすくなります。

2. 次に、その情報を明確かつ具体的な形でリクエストします。例えば「悲しみを乗り越える力をテーマにしたロックソングの歌詞を作成してください」というように指示を出すと、それに沿った歌詞を生成します。

そのほかにも、すでに思いついている歌詞やキーワード、フレーズを提供して、それに基づいて歌詞を作ってもらう方法もあります。例えば、「このフレーズを使ってラブソングの歌詞を書いてください：（フレーズ）」とリクエストするという方法です。

　AIが生成した歌詞は、あくまで提案です。インスピレーションやヒントを得るのにとても便利ですが、最終的なクオリティは手作業での編集や修正が必要です。このように何度かやり取りを繰り返すことで、理想的な歌詞に近づけていくことができるはずです。

これでメロディも作ることができれば最高だね！

ChatGPTでメロディを作ることはできないけど、すでにそうしたAIも出てきているよ。

ChatGPTにできること20：
クイズで遊ぶ。

この前、友達とクイズ遊びをやっていたんだけど、もしかしてChatGPTでもできる？

クイズ問題をつくるのも大得意だよ！

　ChatGPTはたくさんの文章を学習しているため、その知識を使ってクイズ問題を作ることもできます。その手順は以下の通りです。

1. まず、クイズのお題を決めます。例えば、「歴史」や「科学」などです。

2. 次に、問題の難しさを選びます。初心者向けに「初級」、ちょっと難しいものが好きなら「中級」、難問に挑戦したいなら「上級」です。または学校教育のレベルを指定しましょう。

3. 最後に、何問作りたいか決めます。例えば、「5問」や「10問」といった具合です。

これらを踏まえて「日本の歴史について高校生レベルのクイズを2問作ってください。」と聞けば、次のような問題を生成します。

問題1:平安時代の文化に大きな影響を与えた、中国の都市はどこでしょうか?

a) 北京

b) 上海

c) 西安

d) 南京

問題2:日本史上最初の将軍で、鎌倉幕府を開いたのは誰でしょうか?

a) 源頼朝

b) 徳川家康

c) 足利尊氏

d) 織田信長

　このような具合に、簡単にクイズ問題を作ることができます。いろんなジャンルで作ってみて、遊んでみましょう。

実際に答えると、正解か不正解かも教えてくれて楽しいね!

どのようにすれば面白い問題を作れるかを試してみるのも楽しいよ。

まだまだある、こんな遊び方。

遊びにも活用できるのはいいよね。

ほかにもいろんなことができるんだ。

　ChatGPTはアイデア次第で様々な遊び方があります。いくつか、例を紹介します。

トリビア遊び

　カテゴリーを指定して、「トリビアを教えてください。」と指示することで、生成してくれます。

例:「宇宙のトリビアを教えてください。」

回答:「火星のオリンポス山は、太陽系で最も高い山です。標高約69,841フィート（約21,287メートル）で、地球のエベレスト（標高29,032フィート、約8,848メートル）よりもはるかに高いです。」

キャラクターを演じてもらう

ChatGPTに架空のキャラクターになりきってもらって、会話をする遊びです。どんな性格なのか、どんな特徴があるのかを指定することで、その特徴に沿った会話を生成してくれます。

また、実在するマンガやアニメのキャラクターになりきってもらうこともできます。そのキャラクターについて知っているかを聞いてみた後に、そのキャラクターを演じてもらうようにするとスムーズです。

好きな作品のキャラクターなどを演じてもらい、会話をしてみましょう。

仮想旅行

行ったことがない国や行ってみたい場所について質問やリクエストを投げかけることで、まるで旅行しているような具体的な情報を得ることができます。

例:「北極旅行のときに注意するポイントを教えてください。」

回答:「気候と天候: 北極は厳しい寒さと極端な天候によって特徴付けられています。旅行の計画を立てる際には、季節や天候を考慮し、適切な服装や持ち物を用意してください。」etc.

以上は一例です。使っていくうちにさらに新しい遊び方を発見できるかもしれません。

思いもよらない回答を作ってくれて面白いね。

毎日が楽しくなるといいな。

Chapter 6

ChatGPTを、
使いこなそう。

この章では、より精度の高い回答を得るための質問方法やテクニックを紹介していきます。
ChatGPTとのやりとりをさらにスムーズにして、ほしい回答を最短で得るために、ぜひチェックしてみてください。

ChatGPTに質問するときの コツはありますか?

なかなかほしい回答にならないなぁ、質問の 仕方が悪いのかな?

質問が難しすぎると、うまく理解できないこと もあるんだ。

　これまでの内容の振り返りとまとめになりますが、より具体的な回答をしてもら うコツとしては、次のような点が挙げられます。

質問内容を明確にする

　ChatGPTは入力された文章に基づいて自動的に回答を生成します。したがって、 できるだけ明確な質問をすることが大切です。また、文章はできるだけ簡潔にする ことが望ましいです。長い文章や複雑な文章は、回答に時間がかかってしまう可能 性があります。

質問の背景や意図などの情報を伝える

質問の意図や背景を理解してもらうことで、質問に適した回答を得ることができます。例えば、食事の献立について質問する場合、何を食べたいのか、いま何が冷蔵庫に入っているのかなどの具体的な情報を入れることで、より適切な回答を得ることができます。

回答の方法を指定する

「200文字以内で教えて」や「3つ挙げて」といったように数字で回答の内容を指定すると、より簡潔で正確性が高い回答を生成する可能性が高まります。

回答の質についてフィードバックをする

ChatGPTは、継続的な学習を行っています。ChatGPTが生成した回答が適切でない場合はその内容をフィードバックを提供することで、性能を向上させることができます。

使っていくうちに、自分なりの質問のコツをつかめるようになるはずです。いろいろと試してみてください。

丁寧で細かい情報を伝えることで、より良い回答ができるようになるかも。

なるほど、意識してやってみる！

ChatGPTの回答が、途中で止まってしまいました。

回答文が止まっちゃうことがたまにあるけど、どうして?

原因はいろいろ考えられるんだ…

　ChatGPTは、膨大なテキストデータから学習するAI技術を活用しているため、複雑な回答が求められる場合や情報が限定的な質問の場合、結果が不完全になることがあります。

プロンプトが曖昧

　質問が曖昧であったり、十分な情報が提供されていない場合、ChatGPTは適切な回答を生成することが難しくなります。この場合、質問をより具体的にし、必要な背景情報を提供することで改善されることがあります。

プロンプトが不完全

　プロンプトが途中で切れている場合や不完全な場合、ChatGPTは意図を把握できず、回答が止まってしまうことがあります。文章を完結させ、意図が明確に伝わるように質問してください。

モデルの限界

ChatGPTは非常に強力なAIモデルですが、すべての質問に対して正確で適切な回答を提供できるわけではありません。理解できない質問や、専門的すぎるトピックについては回答が不十分であったり、回答が止まってしまうことがあります。

システムのエラーやバグ

まれに、システムのエラーやバグが原因で回答が止まってしまうことがあります。この場合、しばらく待ってから再度リクエストを試してみてください。

回答が途中で止まってしまった場合、続きを促すことでその後の文章生成を行ってくれる場合がほとんどです。しかしそれでも改善が見られない場合は、質問の内容や方法を見直すことも重要です。

6

ChatGPTを、使いこなそう。

サーバーが重いと止まることもあるよ。

時間をおいてやってみるのもいいかもね。

ChatGPTの回答が、短いもしくは長いときはどうしますか?

回答文の長さがまちまちになるよ。長すぎたり、短すぎたりしてたまに困る。

それぞれのパターンで解決する方法があるよ。

回答の長さが変わってしまう原因はいくつか考えられます。

曖昧な質問

質問が曖昧だと、ChatGPTが意図を把握できず、過剰な情報を提供するか、情報が不足した回答を生成することがあります。

質問の範囲

質問内容が幅広いと多くの情報が必要になり、長い回答が生成されることがあります。逆に、質問が狭い範囲であると、短い回答になりやすいです。

モデルの性能

GPT-4は強力なAIモデルですが、モデルの理解力や生成能力の限度を超えると、長すぎたり短すぎたり、ときに誤った回答が生成されます。

それぞれの場合の改善方法は下記のようなものがあります。

【長すぎる場合】

1. 質問や要望を短くしてはっきりさせる：質問の範囲を小さくするか、特定の情報を求めるように言い換えることで、短い回答をもらえることがあります。
2. 答えの長さを制限する：質問する際、「100文字以内で答えて」などと文字数を指定して答えの長さを短くすることができます。ただし、答えが短すぎると、情報が不足してしまうことがあるので注意が必要です。

【短すぎる場合】

1. 質問や要望を具体的にする：質問を詳しくしたり、特定の情報を求めるように言い換えることで、もっと詳細な答えがもらえることがあります。
2. 複数の質問に分ける：1つの質問で複数のポイントをカバーしようとすると、答えが短くなることがあります。代わりに、質問をいくつかに分けて、それぞれに対して回答を求めると、より詳細な情報を得られることがあります。

　回答の長さと、内容の良し悪しや正確性はまた別の問題ですが、ひとつの参考にしてみてください。

自分なりに工夫してみると、より良い方法が見つかるかもよ!

いろんな質問のパターンを試してみるね。

ChatGPTは誤字や表記統一を
どのように判断しますか?

たまに誤字があるまま質問しちゃうけど大丈夫なの?

ある程度は問題なく処理できるよ!

　ChatGPTは利用者の質問における表記統一の乱れ(表記の揺れ)や誤字に対して、ある程度の柔軟性を持っているとされています。大量の学習データの中には多様な表記や、中には誤字も含まれているためです。それらのデータから文脈で意味を理解して、質問の意図を踏まえて回答を生成します。これによりChatGPTが校正や添削を行えるのは本書でも述べているとおりです。

　ただし、表記揺れについては文脈で判断しているため、その文脈が明確でなかったり情報が不足していたりする場合は判断するのが難しくなる場合があります。

また逆に、生成される回答文の中にも誤字や表記揺れが含まれることがまれにあります。誤字や表記の判断と同じ理由になるのですが、学習データそのものに誤字や表記揺れがあることに起因します。

　その場合は誤った表記の部分はさておいて、文脈全体で回答を理解することが望ましいでしょう。

ChatGPTの回答にも誤字が発生する場合があるんだね。

モデルによっては限界や制約があって、上手くいかないことがあるんだ。

Chapter 7

ChatGPTの苦手なこと、注意点を知っておこう。

この章では、ChatGPTの注意点や苦手なことについて解説します。

より安全で効果的にChatGPTを活用するために注意すべきポイントはどこなのかを理解して、活用の幅を広げていきましょう。

ChatGPTは最新の情報に基づいていますか?

いろいろな質問に答えてくれるけど、いつまでの情報なの?

残念だけど最新の情報というわけではないんだよね…

　ChatGPTは2021年9月までの情報に基づいており、その後に発生した出来事や進歩については更新されていません(2023年4月現在)。その点を留意のうえ利用するようにしましょう。

　また、このことに関連して、下記のトピックについて質問をする場合は特に注意が必要です。

変化する事実

　学習済みの情報が古くなり、正確でなくなる可能性があります。例えば経済指標や企業情報、政治情勢や科学的な発見といったトピックが挙げられます。

対応策: 正確かつ最新の情報を得るために、信頼性のある別な情報源を調べましょう。

技術の進歩

　2021年9月以降の技術や製品については情報がないため、助言が古くなる可能性があります。

対応策: 最新の技術動向や製品情報を得るために、専門家の意見やメーカーの公式ウェブサイトを参照してください。

法律・規制の変更

　学習済みの法律や規制が古くなり、利用時点では適用されていないというケースがあります。

対応策: 現行の法律や規制を確認するために、公式情報源や専門家の助言を参照してください。

トレンドの変化

　ファッション、文化、市場などのトレンドが変化し、ChatGPTの情報が陳腐化することがあります。

対応策: 最新のトレンド情報を入手するために、専門家や流行に敏感な情報源を調べましょう。

　今後は、さらに新しい情報を学習していく可能性もあります。

新しい情報は自分で調べる必要があるんだ。

そのことを忘れないのが使いこなすコツだと思ってね。

ChatGPTの回答に正確性や
根拠はありますか?

正確性が求められるものにChatGPTの回答をそのまま使っても大丈夫かな?

ケースバイケースになるかな。

　ChatGPTは大量のテキストデータから学習していますが、その学習データは、ウェブ上の情報や書籍、専門誌などから収集されたテキスト情報で構成されており、このデータをもとにして専門的な知識や情報を学習しています。

　ただし、ChatGPTはあくまで人工知能であり、人間の専門家と同じように情報を理解・解釈しているわけではありません。また、学習データには誤った情報や偏った見解も含まれることがあります。そのため、回答が必ずしも正確であるとは限りません。

また、ChatGPTでは具体的な出典を明示することが困難とされています。なぜなら、モデルが大量のテキストデータを処理し、その知識を総合的に学習しているため、特定の情報がどの出典から得られたものかを特定することが難しいためです。

　重要な意思決定を行う場合や信頼性が求められる状況では、他の情報源や専門家の意見を確認し、複数の根拠を照らし合わせることが望ましいといえます。

　あくまでAIはツールであることを理解したうえで、有効なケースを各自で判断して活用するようにしてください。

文章や意見の裏付け、証拠となる出典元は自分で探す必要があるんだね。

現状、根拠を示すことはできないから注意してね。

情報漏洩の心配はありませんか?

そういえばChatGPTを利用するとき、情報漏洩の心配はないの?

「リスクは限りなく低い、けど…」というのが現状の答えかな。

　ChatGPTの利用においては情報漏洩のリスクは低いとされていますが、完全にそのリスクを排除できるわけではありません。以下の観点における情報漏洩リスクについて検討してみましょう。

モデル自体への情報漏洩

　モデルの学習データは、主にウェブ上の情報や書籍、専門誌などの公開されているテキスト情報で構成されています。利用者との間で行われた会話のデータは、通常はモデルの再学習には使用されません。そのため、利用者が入力した情報がモデルに直接記憶されることはなく、ChatGPTとの会話を通じた情報漏洩のリスクは限りなく低いといえます。

システム上の情報漏洩

　ChatGPTを運用するプラットフォームやサーバーにおいて、情報漏洩のリスクを完全に排除することは難しいようです。システムのセキュリティやプライバシー保護に対する取り組みが重要です。

　情報漏洩のリスクを最小限に抑えるためには、以下の注意点を守ることが重要です。

1. 個人情報の開示を避ける：ChatGPTを使用する際に、個人情報（住所、電話番号、メールアドレスなど）や機密情報を入力しないようにしましょう。
2. セキュリティ対策を講じる：自分のデバイスやインターネット接続のセキュリティ対策を適切に行い、不正アクセスや情報漏洩のリスクを減らすようにしましょう。
3. 利用規約やプライバシーポリシーを確認する：ChatGPTを提供するプラットフォームの利用規約やプライバシーポリシーを確認し、どのように情報が扱われるかを理解しておくことが重要です。

　このように、情報漏洩を防ぐためには慎重な利用が求められます。個人情報や機密情報を扱う際には、いかなる場合でも十分な注意が必要です。

インターネット全般にいえることだけど、個人情報の取り扱いは注意しないとだよね。

安心安全に使うためには、常に意識しておいてほしいな。

地域や、個人に関することも、答えますか?

自分の出身地や好きな俳優、ミュージシャンのことも聞いたら答えてくれるのかな?

答えられることは限られるんだ。

　ChatGPTは一般的な知識や情報に基づいて回答を提供しますが、特定の地域や個人に関する情報は、質問の内容や具体性によって異なります。以下のガイドラインに従って回答が提供されます。

特定の地域に関する質問

　一般的な情報に関する質問であれば、回答することができます。例えば地形や気候などの地理、歴史や重要な出来事、食文化や風俗文化、政治や政策に関する事柄が挙げられます。

　ただし、学習データ以降の更新情報については答えられないか、もしくは誤った回答になる可能性があります。

特定の個人に関する質問

　公的な人物や歴史的な人物に関する一般的な情報であれば、回答が可能です。経歴や生い立ち、業績、その人物の著作物や名言・格言、人間関係などが答えられる事柄にあたります。

　ただし、プライバシーや倫理に関連する問題から、一般の人々に関する情報は提供されません。

　ChatGPTはプライバシーを重視し、適切な範囲内で回答を提供するよう努めています。個人的な情報やプライバシーに関わる質問は避けて、一般的な知識や情報に関する質問に焦点を当てて利用するようにしましょう。

公になっている情報を基に回答してくれるんだね。

それでも誤った情報やプライバシー侵害にあたらないように、細心の注意が必要だよ。

ChatGPTの回答に
著作権はありますか?

作ってもらった回答を自分の作品として出す
ことはできるの?

常に最新かつ正確な情報を掴んでおくこと
が重要だね。

　AIによって生成されたコンテンツ(テキストや画像)の著作権は複雑で、国や地域によって扱いが異なる場合があります。そもそも著作権法は国や地域によって異なるため、ChatGPTの回答の著作権についても、取り扱いが異なる可能性が出てきます。

　ただし、一般的には、ChatGPTが提供する回答は著作権が適用されないとされています。これは、ChatGPTの回答はAIによって生成されており、現行の著作権法は「人間の創作物」を対象としているからです。しかしもちろん、これは現在の状況であり、将来的にAIによる著作物に関する法律が改訂される可能性も大いにあります。

また、ChatGPTの回答には引用や参照とする情報が含まれ、それらはそれぞれに著作権が存在し、著作権法が適用されることがありますので、適切な引用や著作権のクレジット表示に注意が必要です。

　例として、とある国ではAIによって生成された作品は著作権の対象とならず、法的保護を受けることができない、または今後できなくなるかもしれません。一方で別の国では、AIによって生成されたコンテンツの著作権が、AIの開発者や運用者に帰属することもあるでしょう。

　利用に関しては、生成されたコンテンツの使用について明確にしておきましょう。特定の状況における著作権に関する正確な情報を得るためには、専門家の意見を求めることが重要です。

出来上がった文章をどう使うかは、注意が必要なんだね。

今後もどうなるかは自分で調べておくことが大切だよ。

レポートや論文には
使用できますか?

ここまで高い技術だと、研究論文なども書けそうだね。

技術的にはできるよ。でも注意点があるんだ。

アイデア出しや校正の作成など、ChatGPTの回答を論文やレポートに利用することは技術的には可能です。しかし認識しておくべき注意点があります。

情報の正確性

ChatGPTの回答は必ずしも正確であるとは限りません。論文やレポートに使用する前に、情報源を確認し、正確性を検証してください。また、学習している情報が2021年までのものになるため、最新の情報を出力することはできません。

引用・出典

ChatGPTから得られた情報を使用する際は、引用や出典を適切に明記してください。AIによって生成された情報であることを明確にすることが望ましいでしょう。

著作権

　国や地域によっては、AIによって生成されたコンテンツに対する著作権が開発者や運用者に帰属する場合があります。利用規約やサービス契約を確認し、適切な使用が可能であることを確認してください。

　ChatGPTを使って論文やレポートを執筆する際には、さらに以下のポイントを踏まえておきましょう。

1. AIの精度や限界を理解しておく。
2. 独自の見解や意見を加える。
3. 他者の著作権侵害に注意する。

　ChatGPTの回答の利用についてのルールは、国や地域、組織やコミュニティによって変わってくるはずです。確認を徹底し、ルールに則って利用することが求められます。

あくまで執筆のアシストって考えるのがよさそうだね。

それと執筆時のルールを確認しておくことが重要だよ。

倫理的に良くないことについても、答えますか?

こんなに使いやすくて用途も幅広いと、悪いことにも使われるんじゃないの?

倫理に反することは答えられないようになってるよ。

　ChatGPTは、以下のような倫理的に問題のある内容や違法な情報については回答しないように設計されています。

1. 違法行為や犯罪に関する情報
2. 個人のプライバシーに関わる情報
3. 人種差別、性差別、宗教差別など、差別的な内容
4. 他人を攻撃する、誹謗中傷する内容

　その主な理由として、以下の点が挙げられます。

社会的責任の遵守

　AI技術やサービスが社会全体に利益をもたらすようにするため、遵法・倫理的な範囲内で運用されることが求められる。これにより、AIの開発者が法的制裁や社

会的信用の喪失を避けられる。

利用者の安全

不適切な情報や倫理に反する内容を提供することによって起こる、利用者が違法行為や危険な行動に巻き込まれるリスクを減らすため。

法的規制

有益で適切な情報を提供することで、利用者が信頼できる知識源としてAIを利用することができる。これによってユーザー体験が向上し、AI技術の普及が促進されることにもつながる。

AIの信頼性と評判

AI技術は人々が日常生活やビジネスにおいて利用するものであるため、倫理的な問題を避けることによって、AIの信頼性や評判を維持する。

ただし、完全にすべての不適切な内容を避けることは困難であり、まれに不適切な回答が生成されることがあります。利用の際には十分に注意するようにしましょう。

結局は使う人次第ってことだね。

AIはあくまで、生活を豊かにするためのツールと考えてほしいな。

Chapter 8

ChatGPTの応用と、様々なAIがある。

活用方法をさらに広げる機能や、ChatGPTのほかにも注目されているAIについて紹介します。
これまでに紹介した内容と合わせて、ChatGPTが持つ可能性を最大限に引き出す活用法を見つけていきましょう。

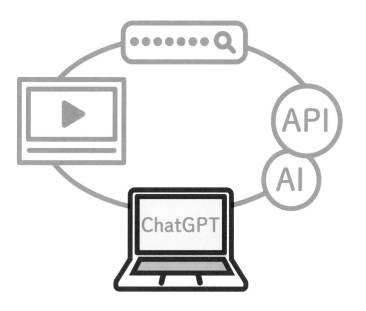

拡張機能の活用1：
検索サイトと連携させる。

ChatGPTの用途をさらに広げることはできる?

拡張機能を駆使することで、可能性が広がるよ!

　ブラウザの拡張機能を用いて検索サイトと連携することで、ChatGPTは様々な方法で活用できます。以下にいくつかの活用例を挙げます。

検索結果の要約

　検索サイトの結果をChatGPTに送信し、それに基づいて回答を生成することで、検索結果の要約や解説を提供する機能です。利用者が検索したキーワードやフレーズに関連する情報を短く、簡潔にまとめることが可能になります。

インライン検索

　利用者がWebページ上のテキストを選択して、その選択されたテキストに関連する情報をChatGPTに問い合わせ、その回答をポップアップやサイドバーに表示する機能です。

画像検索の結果解説

　検索サイトから取得した画像検索の結果に関連する情報や解説をChatGPTに生成させる機能です。

最新情報の提供

　検索サイトと連携して最新の情報やニュースを取得し、それを元にChatGPTが回答を生成する機能です。これにより、学習データセットに含まれていない情報も提供できるようになります。

動画や音声コンテンツの解説

　検索サイトで見つかった動画や音声コンテンツに関連する情報や解説をChatGPTに生成させる機能です。

　これらはあくまで一例であり、今後の技術革新により、ChatGPTの活用方法や連携はさらに多様化することが予想されます。

便利な使い方がたくさんあるんだね。

専門的な知識が求められる場合もあるから、確認して利用してね。

拡張機能の活用2：
エンターテインメントに活用する。

ChatGPTを自分の趣味でももっと活用できないかな。

使い方次第で、可能性は大いにあるよ！

　仕事だけではなく、趣味やエンターテインメントの分野にもChatGPTの用途を広げることができます。

映画やドラマの情報

　拡張機能を使って、映画やドラマのタイトルに関する詳細情報、キャスト、スタッフ、あらすじ、評価などを取得し、ChatGPTによる解説や推薦を提供することができます。

音楽の検索と解説

　音楽の検索結果を連携して、アーティストの情報や歌詞、アルバムの詳細、関連する曲などをChatGPTが提供できるようにすることができます。

ゲームの情報や攻略法

　ゲームに関する情報や攻略法を検索し、ChatGPTがそれに基づいてヒントや解説を提供する機能を実現できます。

イベントやライブ情報

　拡張機能を利用してイベントやライブの情報を取得し、ChatGPTによる詳細や開催場所、日時、出演者などの情報を提供できます。

　上記はあくまで一例で、特定の拡張機能を推奨するものではなく、あくまでChatGPTの可能性を考えるためのものです。実際の利用には開発もしくはすでにある拡張機能を駆使する必要があります。著作権や知的財産権の問題をクリアすべきなのは、言うまでもありません。

好きな映画や音楽を何倍も楽しめるようになるかも！

趣味を広げられると楽しくなるよね。

⑧-③ 拡張機能の活用3： ChatGPTをパワーアップ できますか?

ChatGPT自体を改良していくことはできるの?

現時点ではできないけど、やっぱりブラウザの拡張機能でいろいろできるよ。

　ブラウザの拡張機能を用いることで、ChatGPTの用途をさらに広げて利用することができるようになります。拡張機能の例をいくつか挙げていきます。

検索結果の表示
　Googleで検索した際に、ChatGPTの回答も同時に表示する機能です。

共有機能
　ChatGPTとの会話のリンクを取得して、共有できるようになる機能です。

メール文章作成機能
　メールのテンプレートを作成する、メールの誤字脱字をチェックするという機能が使えるようになります。

プロンプト作成機能

　コピーライティングやマーケティング、プログラミングなど、主にビジネス関連の
ジャンルで用意されているプロンプトを選んでChatGPTに投げかけることができる
機能です。

SNSとの連携機能

　Twitterへの投稿内容をChatGPTに考えてもらう機能があります。そのほかの
SNSと連携できる拡張機能も探してみれば出てくるかもしれません。

　自分の生活や仕事のスタイルに合った拡張機能を選び、活用することで、毎日が
もっと楽に、楽しくなるはずです。ぜひ様々な拡張機能を試してみてください。
　拡張機能次第ではAPI Keyが求められる場合もあるので、よく確認をしておきま
しょう。

拡張機能についても勉強してみようかな。

自分に合ったものを見つけて試してみてね。

ChatGPT APIとは何ですか。

ChatGPTのことを調べているとよく出てくる
「API」って何のこと?

少し専門的になるけど、なるべく噛み砕いて
説明するね。

APIとは「Application Programming Interface」の略称で、ソフトウェアやアプリケーション間でデータや機能を共有・交換するための規格や手順のことを指します。異なるソフトウェアやサービスがお互いに通信し、情報をやり取りするための「通訳」のような役割を果たすと言い換えることもできます。

ChatGPT APIとは、OpenAIが提供する自然言語処理APIのひとつです。ChatGPTモデルを使用して対話システムを構築するためのツールと考えてください。2023年3月からAPIの提供が開始されており、このAPIを使ってアプリケーションやウェブサイトにChatGPTの言語モデルを追加することができるようになります。

また、OpenAIが提供する音声テキスト変換AI「Whisper」というものがありますが、これについてもChatGPTと同様のタイミングでAPI提供が開始されています。これとChatGPT APIを組み合わせることで、より高度な音声認識や音声対話のシステムを構築できるようになります。

　国内外の企業が続々と自社のサービスや製品にChatGPT APIを連携させ始めています。

　ChatGPT APIをシステム開発に利用するにはいくつかの手順を踏む必要があることに加えて、利用料金もかかるので、OpenAIの公式サイトを参照して最新情報を確認しておきましょう。

いろんなアプリケーションやシステムに活用できるんだね!

これから活用事例がどんどん増えていくと思う。

ChatGPT以外のAIシステムには どのようなものがありますか。

ChatGPTはすごく画期的だけど、他にどんな AIシステムがあるの?

代表的なものをいくつか挙げるよ。

　ChatGPT以外にも多くのAIシステムが存在します。以下に、いくつかの代表的な AIシステムとその概要を示します。

Siri

　Appleが開発した音声アシスタントで、iPhoneやiPadなどのデバイスで利用でき ます。ユーザーからの音声コマンドに基づいて、情報検索、メッセージ送信、リマイ ンダー設定などのタスクを実行するAIです。

Alexa

　Amazonが開発した音声アシスタントで、Amazon Echoスピーカーなどのデバイ スで利用できます。音声コマンドに応じて、音楽の再生、ショッピングリスト作成、 ニュースや天気情報の提供などのタスクを実行します。

Bard

　Googleが開発した対話型人工知能です。2023年4月現在、アメリカとイギリスでテストバージョンが発表されています。文章の文脈を理解するほか、コーディングの支援や、画像への対応といった数多くの機能が期待されています。

IBM Watson

　IBMが開発したAIプラットフォームで、様々な業種やアプリケーションに対応しています。自然言語処理、画像認識、音声認識などのタスクを行い、医療、金融、法律などの分野で活用されています。

　これらは、多くのAIシステムの中で代表的な例ですが、他にも様々なAIシステムが開発されています。自然言語処理、画像認識、音声認識、強化学習、推薦システムなど、多岐にわたる分野で活用されており、ビジネス、医療、教育、金融、自動運転など、あらゆる業界に革新をもたらし始めています。

世の中にはたくさんのシステムがあって、開発に利用することもできるんだね。

技術の進歩やイノベーションが促進と、さらなる発展が期待されてるよ!

最新情報に強いAI：Perplexity

ほかにどんなAIがあるのかな？

情報の検索に特化しているAIがあるよ！

「Perplexity」というAIシステムがあります。Perplexityは対話型の検索エンジンで、AIがインターネットを検索して、その結果を表示してくれます。通常の検索サイトと違って、ChatGPTのような対話形式で表示してくれるのがユニークなポイントです。日本語にも対応しており、ログインの必要もなく無料で利用することができます。

使い方はChatGPTと似ていて、検索窓のようなフォームに質問や要望を打ち込むと、返答をしてくれるというものです。

ChatGPTとの違いはいくつかありますが、もっとも大きな違いは「最新の情報についても回答できる」という点です。ChatGPTは2021年9月までのデータを基にしているため、回答できる内容が限定的であったり、誤った情報や古い情報が含まれていたりします。Perplexityは既存の検索エンジンを使用するため、常に最新の状態で回答をしてくれます。

また、最新の情報をインターネットで検索しているため、回答内容の出典も表示してもらうことができます。しかもURLで表示してくれるので、すぐに出典元を確認することができます。信頼度の高い情報を収集することができるのです。

一方で、日本語にも対応はしていますが、英語での利用が多く、返答が英語になってしまうことや日本語の精度が下がる場合、誤訳をしてしまうケースもあるようです。その点を踏まえて利用しましょう。

情報ソースを出してくれるのは助かるな。

最新の情報を学習しているのもすごいよね。

文章作成に強いAI：Notion AI

ChatGPTもいいけど、もっとスムーズに文章を作れるといいな。

文章作成に特化しているAIがあるよ！

　NotionAIという、文章を作成する機能に長けたAIがあります。もともと文章作成や情報管理システムとして世界中で使われているツール「Notion」に備えられたAIで、あらゆる業務の効率化をサポートするというものです。Notionページやデータベースに保存されたデータを活用し、文章作成やデータ分析をすることができます。　NotionAIは、大量のテキストデータから統計的パターンを学習し、より自然で適切な文章作成を行います。

　もちろん文章作成だけではなく、NotionができることをAIにやってもらうことができます。例えばToDoリストを作る、データを取り込んで活用するなどです。Notionをすでに活用している人にとっては非常に便利なAIであるといえるでしょう。

ChatGPTのような対話型チャットボットとは異なり、主にビジネスシーンでの活用が想定されています。利用方法もChatGPTとは異なり、無料でも使うことができますが、回数に制限があります。日常的にビジネスユースをするならば、有料会員になる必要があります。利用料金は公式情報を参照してください。

　NotionAIは現在、Notionの中でしか使うことができません。ChatGPTはChatGPT以外のシステムやサービスにおいても活用されています。目的や用途に応じて使いこなすことが重要といえます。

すでにNotionを活用しているなら、とても便利そうだね。

それぞれ得意な分野や特徴的な機能があるから、知っておけばますます毎日が豊かになりそう。

海外事例①
スマホと連携した健康管理

> 海外だと、もっと幅広い使い方があるって聞いたよ!

> もともと英語がベースだから、英語圏での活用はもっと活発に進んでいるんだ。

ここからは海外での活用について、具体的な事例を紹介をしていきます。

利用者のかかりつけ医　「HealthGPT」

「HealthGPT」はスタンフォード大学の学生が開発したAIツールで、iPhone機能の一つであるヘルスケアとChatGPTを連携させたものです。利用者の健康情報を収集し、ChatGPT技術を用いて健康に関するアドバイスをくれます。

個々人の健康情報に応じて助言をくれるということで、まるで「かかりつけ医」のように活躍してくれるところが画期的で、注目されているポイントです。

現在はサービス開始前ですが、日本語でもテスト利用が可能となっており、SNSでもその機能性の高さに驚きの声が多く上がっています。

HealthGPTの活用例

　下記では、搭載される機能の例をご紹介します。

1. 履歴に基づいた健康管理

　HealthGPTでは、iPhoneのヘルスケアアプリに収められている、利用者のこれまでの健康データを基に適切なアドバイスを返してくれます。

　また、ちょっとした体の不調の原因を聞いたり、直近の睡眠の状態を確認したりする際にも有効とのことです。

2. トレーニングメニューの相談

　パーソナルトレーナーとして、トレーニングメニューや食事メニューの相談もすることができます。理想となる数値などを明確にして、それに向けたアドバイスを求めることで、これまでのデータに基づいた健康的なアドバイスを生成してくれることでしょう。

　以上は一部ですが、今後さらなる改善やグレードアップが期待されています。利用の方法やより詳細な情報については、公式のURL等を参照してください。

これまでの傾向を基にアドバイスをくれるから頼もしいね。

最終的な判断は自分でする必要があるけど、
サポートとしては心強いよね！

海外事例②
喋るChatGPT

海外だともっとユニークな使い方もありそうだね。

新しいAIツールや使い方がどんどん開発されているよ!

　ChatGPTは質問を投げかけることで回答を生成する会話型のAIツールですが、現在では喋るChatGPTと呼ばれるAIツール「D-ID Chat」が登場しています。

音声で会話をするAI

　D-ID Chatは、イスラエルのスタートアップ企業であるD-ID社が発表したAIシステムです。まるで人間と会話をするように、アバターを通じて会話をするというものです。

　具体的な仕組みとしては、D-IDが開発したテキストからビデオを生成する技術とChatGPTの技術を組み合わせて、利用者が入力したテキストや画像を使ってアバターの顔と文章を作成します。それをもとにアバターがテキストを読み上げる動画を生成する、というものです。

ビジネスでの活用も期待大

　一見するとアバターとは見破ることができないほどに自然に出来上がり、年齢やシーンを問わず様々な場面で活用できる可能性を秘めています。

　性別や口調などの設定も可能で、友人と一緒に使ったり個人的に楽しんだりすることはもちろん、社内向けの研修動画や顧客向けのでも動画、カスタマーサービスなど、今後はビジネスにおける活用も大いに考えられます。

　現在は、公式サイトからサインインすることで誰でも無料で試すことができます。ただ日本語への対応はしていないため、利用する際には英語で質問することになります。
　ビデオ通話をしているような感覚でAIとの会話を楽しむことができるため、今後日本語への対応も期待されています。

声で会話ができるようになったら、すごいね。

まだまだ成長中だから、今後もっと活用が広がるはず！

海外事例③
専門領域で活用できるChatGPT

いろいろあるんだね、使える日が楽しみ！

ほかにも、特定の分野に長けているAIツール
も続々開発されているよ。

　ChatGPTがより積極的に活用・導入されている海外では、専門分野に特化した
AIツールの開発も進んでいます。ここでは、その一例をご紹介します。

投資家情報を提供する「FinChat.io」

　「FinChat.io」は、金融業界に特化したAIツールです。現在では、750社以上の企
業と100を超える投資家情報を提供しているといわれています。

　最新の経済ニュースや分析、市場動向などの情報を提供するだけでなく、利用者
が投げかける専門的な質問にも答えることができるため、投資家にとっては手軽
に情報収集できるだけではなく、相談相手にもなってくれるツールといえるでしょ
う。

　現在は一部の米国株にのみ対応しているようですが、より幅広い国への適用が
期待されます。

独自のチャットボットを作成できる「SiteGPT」

　「SiteGPT」は、独自のAIチャットボットを簡単に作成することができるAIツールで、顧客対応の効率化に活用されています。アカウントを作った後、任意のURLを入力することで、そのURLのなかにあるコンテンツを学習します。

　その学習データを学んでチャットボットを作成してくれますが、チャットボット自体の人格についても設定することができるため、フレンドリーな対応や丁寧な対応など自由に設定することもできます。

　カスタマーサービスへの活用はもちろん、何度質問しても丁寧に教えてもらえるという点では社員教育やマニュアルとしての導入も良いかもしれません。

　あくまでこれらはサービスの一部です。より詳しい内容や正確な情報は各公式サイトを参照するようにしてください。

すごいスピードで活用や応用が広まっているね。

今後もたくさんの作業との連携が進んでいくと思うよ!

おわりに

　いかがでしたでしょうか。エンジニア知識を持たない方でもご理解いただけるように、ChatGPTでどのようなことができるのか、AIは今後どのように進化していくのか、そして私たちの生活にどんな影響を与えるのかについて述べてきました。

AIの進化で生活はこう変わる

　これまでも数多くのAI技術とその進化は、私たちの生活や働き方に変化をもたらしてきました。

　例えば、スマートスピーカーのように家電製品にAIが搭載され、音声操作や自動化が可能になりました。人間が実際に手を動かさなくてもAIが対応してくれることで、細かな作業や手間が効率化されて便利になり、生活の質が向上していると感じる方も多いのではないでしょうか。

　また、普段の生活の中だけではなく、本書でも述べているようにAI技術は医療や教育といった専門的な分野でも既に活用されています。そのほかにも交通の分野では自動運転への活用など、様々な場面でAIの導入が進んでいます。その中でも近年でもっとも革新的といえるのが、本書のテーマであるChatGPTなのです。

まだまだ進化するChatGPT

　情報の共有やアドバイスを含めた円滑なコミュニケーションができることはもちろん、個人単位で、かつ無料で活用できるという点でも、ChatGPTの手軽さは群を抜いているといえるでしょう。現在は英語の精度が高い傾向にありますが、今後は日本語への対応もさらに広がっていくことが期待されています。

　ChatGPTはそれ自体の性能の高さが魅力的ですが、エンジニアやシステム開発者にとっては技術を応用しやすい点も魅力のひとつです。本書の8章でも述べたように、海外ではChatGPTを活用したシステムが次々と登場し始めています。もしかしたらこの本が出る頃にはサービスとして稼働しているものもあるかもしれません。

　ChatGPTをはじめとして、思いもよらないシステムやサービスが出てくることによって、私たちの生活が変わっていく。そんな未来を想像すると、ワクワクしてきませんか?

おわりに

まずは使ってみよう！

　ただ、AIがどこまで進化を遂げても、それを使うのが人であることに変わりはありません。

　これまで時間を費やしてきた作業の中で、どの部分をAIに任せることができるのか。また、AIの機能を最大限活かすためにはどのような手段があるのか。適切な判断と効率的な使い方ができてこそ、AIの能力を引き出すことができるのです。

「ChatGPTのように、大きな変化がやってきたときにどうするか？」
「どうすれば変化に対応して、うまく使いこなすことができるのか？」
「人間にしかできないこと、自分にしかできないことはなにか？」

　それを知るためには、まず使ってみることが一番です。

「話題になっていることは知っているが、実際に使ったことはない」、「AIを活用することになんとなく抵抗がある」など、これまでAIにあまり触れてこなかった方にこそ、本書を通してAIがどれだけ身近な存在になりつつあるかを知っていただけるはずです。

　本書でご紹介した内容は、ChatGPTを使う上での基礎的な内容に過ぎません。実際に使ってみることで、新たな使い方や自分なりの活用方法を見出すことができるはずです。

ChatGPTは非常に便利なAIですが、それ自体では完璧ではありません。上手く使う人がいて、しっかりと判断する人がいて、初めてその能力を発揮します。ChatGPTはツールに過ぎません。だから、ツールとして使いこなす力を身に付けることが重要です。その力とは、ChatGPTに対しては「質問力」や「指示出し力」と言えるでしょう。

ChatGPTをはじめとしたAIをぜひ活用して、ビジネスや勉強、そして毎日の生活をもっと楽に、楽しいものにしていきましょう。

本書がその一助となれば、それに勝る喜びはありません。

【お断り】
本書はあらゆる文献（インターネット上のものを含む）を参考にして、また実際に使用した体験をもとに構成しました。ご指摘や感想、建設的なご意見など、ぜひ下記のアドレスまでお寄せください。

info@japanbusiness.co.jp

著者紹介

日本ビジネス研究会

BtoBメディア『環境ビジネス』を主宰する出版社
日本ビジネス出版の有志で立ち上がった研究会。
最新の技術やビジネスモデル、革新的な人物に
フォーカスして、仕事や生活に活かせるエッセンス
を切り出してわかりやすくまとめ、世の中に発信す
ることを目的に活動している。

STAFF

本文イラスト
石ノ森里美

本文デザイン
ニューキャスト

章トビライラスト
飯塚恭規

ブックデザイン
荒木香樹

編集アシスタント
中川夏希

すぐに使える！ChatGPT

公開中!!

「シーン別　指示文 一覧」
（プロンプト）

「ChatGPTの始め方はわかったけど、具体的にどのように指示をすればいいのかわからない。」
「仕事では使っているけど、家事でどう活用すればいいの？」

このようなことでお困りではないですか？
「環境ビジネスオンライン」では現在、お役立ちプロンプトを仕事、勉強、生活などのシーン別でまとめて公開しています。
ぜひご覧になって、一緒に活用していきましょう！

〈プロンプトは随時更新中!!〉

https://www.kankyo-business.jp/gpt

仕事 勉強 生活をもっと楽しく。

エンジニアじゃない人のための

ChatGPT 超入門

2023年5月31日　初版

著　　　者　　日本ビジネス研究会
発　行　者　　白田範史
発　行　所　　株式会社日本ビジネス出版
　　　　　　　〒107-8418　東京都港区南青山3丁目13-18　313南青山
　　　　　　　編集部 ☎03-3478-8403
印刷・製本　　株式会社光邦

ⓒ Japan Business Publishing Inc, 2023 Printed in Japan

ISBN 978-4-905021-03-2